CHERS AMIS RONGEURS, BIENVENUE DANS LE MONDE DE

Geronimo Stilton

L'ÉCHO DU RONGEUR
RÉDACTION

GERONIMO
STILTON

Texte de Geronimo Stilton.
*Sur une idée d'*Elisabetta Dami.
*Coordination des textes d'*Isabella Salmoirago.
Coordination éditoriale de Patrizia Puricelli.
*Édition d'*Alessandra Rossi.
Direction artistique de Iacopo Bruno.
Couverture de Roberto Ronchi *(dessins) et* Andrea Cavallini *(couleurs)*.
*Conception graphique d'*Andrea Cavallini */theWorldofDOT*.
Illustrations des pages de début et de fin de Roberto Ronchi *(dessins)*, Ennio Bufi MAD5 *(dessin page 123)*, Studio Parlapà *et* Andrea Cavallini *(couleurs)*.
*Cartes d'*Andrea Da Rold *(dessins) et* Andrea Cavallini *(couleurs)*.
Illustrations intérieures de Danilo Loizedda *(dessins)*, Antonio Campo *(encrage) et* Daria Cerchi *(couleurs)*.
Coordination artistique de Roberta Bianchi.
Assistance artistique de Lara Martinelli *et* Andrea Alba Benelle.
Graphisme de Michela Battaglin *et* Chiara Cebraro.
Traduction de Marianne Faurobert.

www.geronimostilton.com

Pour l'édition originale :
© 2016 Edizioni Piemme S.p.A. – Palazzo Mondadori, Via Mondadori, 1 – 20090 Segrate, Italie
sous le titre *Il fantasma del Colosseo*.
International rights © Atlantyca S.p.A. – Via Leopardi, 8 20123 Milan, Italie – www.atlantyca.com
contact : foreignrights@atlantyca.it
Pour l'édition française :
© 2018 Albin Michel Jeunesse – 22, rue Huyghens – 75014 Paris
www.albin-michel.fr
Loi 49-956 du 16 juillet 1949 sur les publications destinées à la jeunesse
Dépôt légal : septembre 2018
Numéro d'édition : 22936
Isbn-13 : 978-2-226-40331-5
Imprimé en France par Pollina s.a. en août 2018 - 85793

Geronimo Stilton

LE GLADIATEUR FANTÔME

ALBIN MICHEL JEUNESSE

UNE DRÔLE D'ENVELOPPE COULEUR GRUYÈRE...

Ce **MATIN**-là, quand Sourisette, ma secrétaire, déposa le courrier sur mon bureau, j'étais loin de m'attendre à de MAUVAISES nouvelles... Il y avait tout un tas d'enveloppes : l'une contenait

Et voilà !
Que de courrier !

la **facture** de gaz... une autre, un **contrat** à signer... une autre, plus grande, le **manuscrit** d'un nouvel auteur encore inconnu mais trèèès prometteur... Je trouvai aussi une carte postale de ma tante Toupie, en vacances aux îles Bienheureuses. Et puis, des factures et encore des factures à **PAYER**, notamment celle de mon amie l'architecte Ratiba Déquerre, qui venait d'installer des panneaux solaires* à la ferme Stilton, et celle du carrossier qui avait réparé la voiture du journal. Enfin, je tombai sur

UNE ENVELOPPE VIOLETTE PARFUMÉE...

Scouit ! Je reconnus aussitôt cette fragrance : c'était *Lugubrelle N° 5*, le parfum préféré de Ténébreuse Ténébrax, ma (*presque*) fiancée !
« Presque » fiancée dans le sens où *elle* considère que nous sommes fiancés, alors que ***CE N'EST PAS VRAI !***

* *Ce sont des panneaux destinés à capter l'énergie solaire pour produire de l'électricité.*

Fébrile, je décachetai l'enveloppe et y trouvai un **billet** qui disait :

CHOU CHÉRI, TU SAIS QUE LA SEMAINE
PROCHAINE C'EST NOTRE ANNIVERSAIRE
DE FIANÇAILLES, N'EST-CE PAS ?
J'ORGANISE UN PETIT DÎNER
À CHÂTEAUCRÂNE AVEC TOUTE LA FAMILLE.
IL Y AURA DE LA FRICASSÉE, TU ADORES ÇA !
N'OUBLIE PAS, C'EST COMPRIS ?

TA TÉNÉBREUSINE !

Je glapis :

– **Mais quel anniversaire ? Nous ne sommes même pas fiancés ! Scouiiit !**

Pauvre de moi, un dîner à Châteaucrâne, avec toute sa lugubre tribu ? Avec de la fricassée ?

JE DÉTEEEESTE LA FRICASSÉÉÉÉE !

Je m'apprêtais à appeler Ténébreuse pour lui expliquer une bonne fois pour toutes que ce dîner d'anniversaire était une mauvaise idée, **étant donné que nous ne sommes pas fiancés**, et que si je l'aime bien, c'est uniquement en tant qu'amie, quand mon regard tomba sur une autre enveloppe, jaune, à l'aspect officiel...

Que pouvait donc bien contenir cette drôle d'enveloppe couleur **GRUYÈRE** ?

Curieux, je l'ouvris, et je sursautai.

Par mille mimolettes, c'était une lettre de l'école que fréquentait mon neveu Benjamin !

Je me souvenais parfaitement d'**Hardi Pizz**, il avait été mon professeur quand j'étais lycéen. Entre-temps, il était devenu le **DIRECTEUR** de l'école de Benjamin !

L'espace d'un instant, je fus assailli par les souvenirs...

École
Ratimir-Ratapus

Monsieur Stilton,
Nous sommes au regret de vous informer que les notes de votre neveu, Benjamin Stilton, ont dégringolé de façon inquiétante. Il a, en particulier, des difficultés en histoire : son professeur l'a récemment interrogé sur la Rome antique et il n'a rien su répondre ! Je voudrais vous rencontrer pour discuter avec vous de ce problème : Benjamin est un souriceau intelligent, et nous souhaitons tous qu'il rattrape son retard avant qu'il soit trop tard.
Il serait dommage qu'il redouble !

Ratesques salutations,
Le directeur,
Prof. Hardi Pizz

Hardi Pizz, mon ancien professeur, enseignait justement l'histoire, la matière dans laquelle Benjamin avait des difficultés ! Il TERRORISAIT tous les élèves et nous l'avions surnommé Pizz le Terrible.

Il était très sévère, et il me fallut des années pour comprendre qu'il l'avait été pour notre bien : si j'avais tant appris en HISTOIRE, c'était grâce à lui, et ces connaissances m'avaient été bien utiles quand j'avais commencé à travailler pour **l'Écho du rongeur**.

À propos, je ne me suis pas encore présenté. Mon nom est Stilton, *Geronimo Stilton*, et je dirige *l'Écho du rongeur*, le journal le plus célèbre de l'île des Souris.

LE SECRET DE PIZZ LE TERRIBLE

Inquiet, je décrochai mon téléphone et j'appelai **aussitôt** le directeur :

– Hem… Bonjour, je voudrais parler au professeur Hardi Pizz.

Une voix grave ***TONNA*** à l'autre bout du fil :

– Stilton ? C'est bien vous, Geronimo Stilton ? *Celui* qui s'asseyait toujours au fond de la classe et qui lançait des BOULETTES de papier à la rongeuse avec des tresses blondes au troisième pupitre de la deuxième rangée à droite ? *Celui* qui ne se rappelait jamais la date de la fondation de **ROME** ? *Celui* à qui j'ai failli faire redoubler sa sixième parce que au lieu d'étudier il rêvassait tout éveillé (et n'avait même pas la moyenne en histoire !) ? *Ce* Geronimo Stilton-*là* ? Et d'ailleurs,

je n'ignorais pas que vous m'appeliez Pizz le Terrible, qu'est-ce que vous croyez ?!

J'ÉTAIS ABASOURDI !

Par mille mimolettes, le professeur avait une mémoire d'éléphant ! Il avait immédiatement RECONNU ma voix et il se rappelait tout de moi, y compris que j'étais à l'époque **AMOUREUX** de cette petite rongeuse…

Je murmurai :

– Euh… oui, professeur *Terrible,* hem… je voulais dire professeur Pizz. **C'est bien moi, Stilton, Geronimo Stilton.** Je ne pensais vraiment pas que vous vous souviendriez de moi…

Il s'esclaffa.

– Vous plaisantez, Stilton ? Hardi Pizz n'oublie jamais un museau, ni un nom, **ni une note** ! Je me souviens

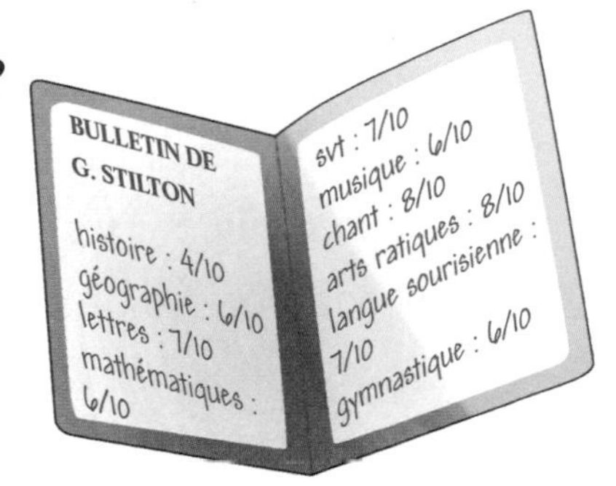

par-fai-te-ment que vous n'étiez pas très à l'aise en histoire, jusqu'au jour où j'ai réussi à vous remettre sur le DROIT CHEMIN ! Vous rappelez-vous la fois où je vous ai emmenés à Rome en excursion scolaire ? À partir de ce moment-là, je dois l'admettre, vous vous en êtes très bien tiré : à la fin, vous aviez DIX sur DIX !

Je le remerciai :

– Vous avez raison, professeur !

Le professeur Pizz avait un secret : il faisait partager sa passion pour l'histoire à ses élèves en les emmenant sur les lieux mêmes où elle s'était faite. Ainsi toute la classe était-elle partie en excursion à Rome.

Devant le COLISÉE, ému, il avait déclaré :

– Dans cette arène luttaient les gladiateurs. Sur ces gradins étaient assis les Romains, car c'est ici que se déroulaient les grands spectacles auxquels toute la ville de ROME venait assister… Fermez les yeux et imaginez les sénateurs, l'EMPEREUR et sa cour, le parfum des fougasses que mangeaient les Romains, les CRIS de la foule !… L'histoire n'est pas une matière inerte, elle est vivante ! Et c'est là toute sa MAGIE ! L'étudier, c'est entreprendre un

VOYAGE DANS LE TEMPS !

Dès lors, l'histoire était devenue ma matière préférée ! Soudain, j'eus une illumination.

– Professeur, ne vous inquiétez pas pour les mauvaises notes de Benjamin en HISTOIRE. Je me charge d'en faire un passionné de cette matière :

Dans cette arène
luttaient les gladiateurs !

j'utiliserai la même méthode que vous autrefois ! Je l'emmènerai à Rome !

QUAND JE RACCROCHAI... MA DÉCISION ÉTAIT PRISE !

Je téléphonai à mon neveu.

– Coucou, Benjamin ! Écoute, je sais que tu as des SOUCIS à l'école. Ne t'inquiète pas, je vais t'aider à apprendre l'histoire de Rome tout en t'amusant. Nous VISITERONS la ville ensemble, et ainsi tu mémoriseras plus facilement les grands événements de son histoire antique. Allons, prépare ta valise, on y va ! J'invite aussi Traqueline, tu es content ?

Le lendemain matin, tous les trois, nous prîmes l'avion pour Rome. C'était un VOL DIRECT pour l'Italie et les *hôtesses*, charmantes, nous offrirent des pizzas à volonté toute la durée du voyage, miam miam !

Traqueline est une lointaine cousine de Benjamin et c'est aussi sa meilleure amie ! C'est le portrait craché de Traquenard !

ROME, UNE VILLE À DÉCOUVRIR...

L'Italie est un pays riche de chefs-d'œuvre architecturaux et artistiques. La beauté et la variété de ses paysages, ainsi que l'excellence de sa gastronomie, sont réputées : on ne se lasse jamais d'y voyager...

Rome est sa splendide capitale. Elle compte plus de 2,8 millions d'habitants. Construite sur sept collines, comme le raconte sa légende, c'est une métropole animée, où monuments et vestiges archéologiques abondent : plus de 16 % du patrimoine mondial de l'humanité est rassemblé sur son territoire !

Avec environ 52 000 hectares d'espaces verts, Rome est considérée comme une des villes les plus verdoyantes d'Europe. Dans ses nombreux parcs, où l'on trouve de superbes villas datant de la Renaissance, on peut se promener ou faire du sport.

Comme toutes les capitales du monde, Rome abrite plusieurs palais remarquables : le palais du Quirinal, siège de la présidence de la République ; le palais Montecitorio, siège de la Chambre des députés ; le palais Madame, siège du Sénat ; et enfin, le palais Chigi, siège de la présidence du Conseil des ministres.

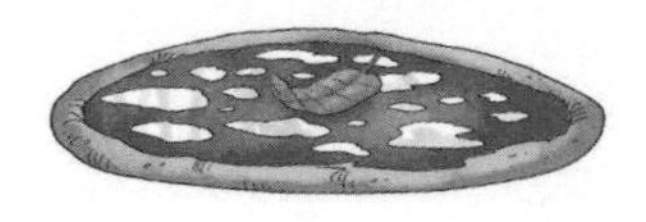

Ne me dis pas que tu ne me reconnais paaas !

Une fois que nous eûmes atterri, nous allâmes récupérer nos bagages. En attendant le taxi qui nous conduirait au centre de Rome, en compagnie de Benjamin et de Traqueline je dévorai une pizza aux quatre fromages ! Nous étions tout de même en Italie, la patrie de la pizza, n'est-ce pas ? J'étais en train de me GOINFRER, quand, soudain, une rongeuse brune aux longs cheveux ondulés, vêtu d'un *élégant* tailleur-pantalon couleur tome de Savoie, se jeta à mon cou.

Elle me serra dans ses pattes en s'écriant d'un ton mélodramatique :

– Geronimooo ! Ne me dis pas que tu ne me reconnais paaas !

Puis elle me fit un **CLIN D'ŒIL**.

Geronimooo !
Ne me dis pas que
tu ne me reconnais paaas !
Gloub !
Bah ?

Je ne voyais pas du tout qui elle pouvait être, et en plus j'avais avalé une bouchée de travers. Je ne pus donc lui répondre qu'un :

– GLOUB !

Elle éclata de rire.

– Mais enfin, c'est moi ! Énorate Sourazate ! Tu te souviens maintenant, Ger ? Toi, tu n'as pas changé d'un poil, toujours en train de t'empiffrer, hein, glouton !

Et elle me refit un clin d'œil.

Je murmurai :

– HEM... MADAME, JE...

Agacée, elle glapit :

– Ger, comment peux-tu avoir oublié que nous étions ensemble en quatrième au collège de Sourisia ? Tu comprends, à présent, qui je suis, n'est-ce pas ? Tiens, regarde cette photo !

Elle me fit un troisième clin d'œil en m'agitant sous le museau une PHOTOGRAPHIE nous montrant assis au même pupitre (c'était un

photomontage, je m'en aperçus aussitôt !), sur laquelle elle avait griffonné au feutre : « RÉVEILLE-TOI !!! Fais semblant de me reconnaître, agent secret Zéro Zéro G ! Qu'est-ce que tu as dans le ciboulot, de la pâte à pizza ? Je suis l'agent secret Zéro Zéro É ! Tu viens d'être recruté pour une mission ultra secrète à ROME ! »

Car vous devez savoir qu'il m'arrive de collaborer avec les P.S.S.S.T. (Puissants Services Secrets Sourisiens Top secret), où mon nom de code est Zéro Zéro G !

Je m'écriai alors :

– *Par mille mimolettes*, mais comment ai-je pu t'oublier, ma chère Énorate ?

Et j'en rajoutai même :

– Mais bien sûr, c'était toi, c'est toi, évidemment, ma voisine de

Hé hé hé !
Comment ai-je pu t'oublier ?!

MOI, AGENT SECRET ZÉRO ZÉRO G !

ZERO ZERO G
AGENT SECRET

COMMENT JE SUIS DEVENU AGENT SECRET DES P.S.S.S.T.,

LES PUISSANTS SERVICES SECRETS SOURISIENS TOP SECRET

Les Puissants Services Secrets Sourisiens Top secret œuvrent dans l'ombre pour le bien de l'île des Souris. Dans le passé, ils m'ont recruté pour une mission visant à empêcher le vol du trophée d'un tournoi de golf, la Super Ratocoupe.
Mon succès m'a valu d'être officiellement nommé agent secret Zéro Zéro G.

Plus tard, quand le maléfique professeur Mou, un savant sans scrupules, a à nouveau tenté de conquérir l'île des Souris et menacé Sourisia, les P.S.S.S.T. m'ont envoyé déjouer ses terribles plans au fin fond de l'espace, et cette fois encore nous avons réussi !

D'AUTRES AGENTS SECRETS DES P.S.S.S.T.

KORNELIUS VAN DER KANKOÏE

NOM : KORNELIUS VAN DER KANKOÏE.

NOM DE CODE : ZÉRO ZÉRO K.

QUI EST-CE ? UN ANCIEN CAMARADE DE CLASSE DE GERONIMO.

PROFESSION : AGENT SECRET DES P.S.S.S.T.

SIGNES PARTICULIERS : IL PORTE TOUJOURS UN SMOKING HYPER ACCESSOIRISÉ, ET DES LUNETTES DE SOLEIL DE JOUR COMME DE NUIT !

VÉRONIQUE VAN DER KANKOÏE

NOM : VÉRONIQUE VAN DER KANKOÏE.

NOM DE CODE : ZÉRO ZÉRO V.

QUI EST-CE ? LA SŒUR DE KORNELIUS.

PROFESSION : AGENT SECRET DES P.S.S.S.T.

SIGNE PARTICULIER : SON PARFUM RAFFINÉ ET UNIQUE LA REND IRRÉSISTIBLE.

pupitre en quatrième, hem, je me souviens très bien de toi !

Benjamin lui serra alors la PATTE.

– Ravi de vous rencontrer, madame Énorate.

Traqueline s'esclaffa :

– Waouh, la voisine de pupitre de tonton Ger ! QUELLE HISTOIRE !

Énorate me fit encore un clin d'œil.

– À propos, Geronimo, dans quel hôtel allez-vous loger ?

Je répondis :

– À l'hôtel des TROIS-QUEUES...

Elle me coupa aussitôt :

– Quelle HEUREUSE coïncidence : j'ai justement réservé une chambre dans ce même hôtel !

Puis elle me flanqua un coup de coude et je m'exclamai à mon tour :

– Quelle coïncidence, euh... incroyable !

Nous prîmes le même TAXI et, peu après, nous

arrivâmes à l'hôtel, où nous nous attablâmes devant une érapatante pizza !
Pendant que je me GOINFRAIS (miam, en Italie, la pizza est vraiment exquise !), mon **téléphone** sonna.
C'était mon grand-père Honoré Tourneboulé, alias Panzer, qui me hurla dans l'oreille :
– Gamiiin, espèce de flemmard ! Mon **flemmardomètre** vient de m'apprendre que tu étais parti en vacances en Italie ! **RENTRE IMMÉDIATEMENT ET REMETS-TOI AU BOULOOOT !**

Quel flemmard !

J'essayai de lui expliquer :
– Maiiis, grand-père, il y a une bonne raison à ça, une raison qui concerne Benjamin... Et

Le flemmardomètre
est un appareil de contrôle complexe que grand-père Honoré a mis au point pour débusquer les flemmards.

puis, un journaliste doit voyager, se confronter à des idées neuves, s'immerger dans la **nouveauté**...

Il grogna :

– **DES IDÉES NEUVES ?** De la nouveauté ? Bah, d'après moi, tu n'en fiches pas une, comme d'habitude ! Et tu dois te GOINFRER de pizza, j'en mettrais mes moustaches à couper !

Par mille mimolettes, comment mon grand-père fait-il pour toujours tout deviner ?

Bah !

Je raccrochai, et mon regard tomba sur la une de la revue *Chasse au scandale*, qui annonçait une curieuse nouvelle...

QUELQU'UN VOULAIT ACHETER LE COLISÉE !

CHASSE AU SCANDALE

QUELQU'UN VEUT ACHETER LE COLISÉE!

Par Baratin Bidon

Une mystérieuse rongeuse originaire de l'île des Souris aurait l'intention d'acheter l'un des plus importants et célèbres monuments du monde : le Colisée!
L'énigmatique souris s'est présentée dissimulée sous un large chapeau à motif léopard, enveloppée dans un ample pardessus à motif léopard, avec de grandes lunettes teintées sur le museau : nous n'avons donc pas pu la reconnaître. Voici, en exclusivité pour nos lecteurs, le texte intégral de notre interview!

« Oui, je veux acheter le Colisée, et alors? Les vieux monuments décrépits ne m'intéressent pas, je le ferai raser pour construire à la place un super centre commercial avec parking géant! J'adore le béton, je le préfère infiniment aux vieilles ruines croulantes! »

Mission « Le fantôme du Colisée »

Une fois dans ma chambre d'hôtel, j'ouvris l'armoire et j'y trouvai une MALLETTE et un billet :

Mallette M.A.S. (Mallette Agent Secret)
pour les Missions Secrètes en Italie.

Agent spécial Zéro Zéro G,
ta mission consiste à découvrir qui est

LE FANTÔME DU COLISÉE !

Bonne chance
(tu en auras besoin !).

À l'intérieur de la mallette, il y avait :

1. **UN GUIDE TOURISTIQUE DE ROME** avec des cartes (signalant aussi les passages secrets et d'autres détails utiles aux agents secrets).
2. **UNE PAIRE DE LUNETTES** pour la vision nocturne.
3. **UNE PETITE BOÎTE EN ACIER** contenant une pilule grise : jetée à terre, elle produit de la fumée qui empêche toute visibilité et gêne l'adversaire.
4. **UNE BOÎTE DE SACHETS** de SuperMégaColle, plus solide que du béton armé, plus élastique que du caoutchouc, plus collante que mille ventouses !
5. **UNE PINCE À LINGE** (pour quoi faire ? Mystère !).
6. **LA RECETTE DE LA PIZZA DE L'AGENT SECRET** avec toutes les instructions pour la réussir…
7. **UN COSTUME DE GLADIATEUR** sous vide…

et une foule d'autres gadgets étranges !

M.A.S. !
(Mallette Agent Secret

Guide touristique de Rome indiquant les PASSAGES SECRETS et d'autres détails utiles aux agents secrets.

D'étranges lunettes adaptées à la VISION NOCTURNE.

Une pilule grise qui, jetée à terre, produit de la FUMÉE empêchant toute visibilité.

Une PINCE À LINGE... Pour quoi faire ? Mystère !

ZÉRO ZÉRO G
AGENT SPÉCIAL

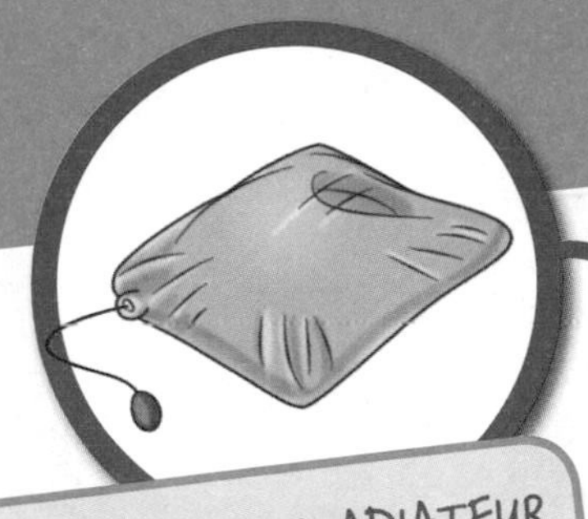

UN COSTUME DE GLADIATEUR SOUS VIDE, À N'UTILISER QU'EN CAS D'URGENCE !

LA RECETTE DE LA PIZZA DE L'AGENT SECRET, AVEC TOUTES LES INSTRUCTIONS POUR LA RÉUSSIR...

UNE BOÎTE DE SACHETS DE SUPERMÉGACOLLE, PLUS SOLIDE QUE DU BÉTON, PLUS ÉLASTIQUE QUE DU CAOUTCHOUC, PLUS COLLANTE QUE MILLE VENTOUSES !

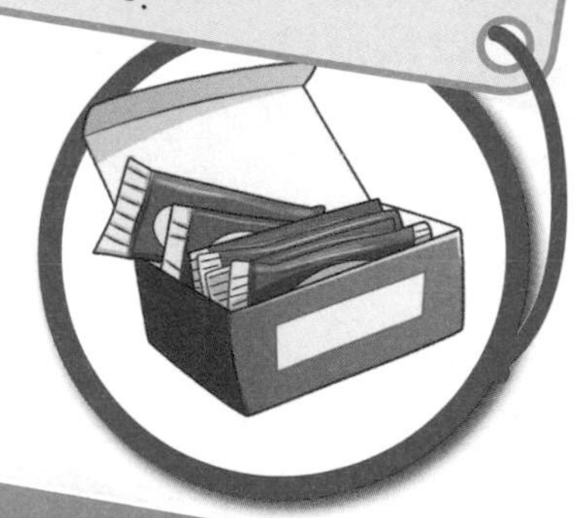

LA MALLETTE SE TRANSFORME EN SAC À DOS GRÂCE À SES DEUX BRETELLES ARRIÈRE !

Avec la mallette se trouvaient un parapluie et son manuel d'instructions...

TOURNE LA PAGE

ATTENTION!

Ceci ressemble à un parapluie normal, mais ce n'en est pas un!

Usages du PARAPLUIE DE L'AGENT SECRET!

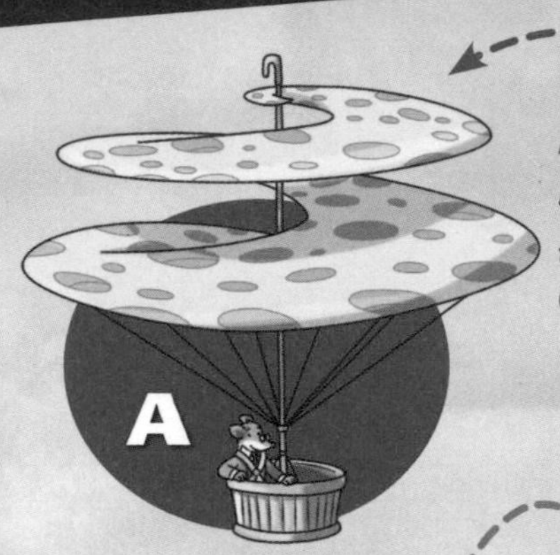

A) IL SE TRANSFORME EN MONTGOLFIÈRE DE SECOURS À QUATRE PLACES (TRÈS LÉGÈRE ET TRÈS SÛRE!)

Parapluie-montgolfière

B) IL EST CAPABLE DE RECONNAÎTRE, DE MESURER ET DE CAPTURER LES FANTÔMES (SI VOUS N'AVEZ PAS FUI, TERRORISÉ!)

Parapluie-attrape-fantômes

C) IL ÉMET UN PUISSANT CHAMP MAGNÉTIQUE (MAIS SEULEMENT PENDANT CINQ MINUTES!)

Parapluie-aimant

D) Il projette de longs CÂBLES EN ACIER (ça peut servir !)

D

Parapluie-lance-câbles

E) Il fait office de TORCHE LASER de longue portée (au cas où vous vous retrouveriez dans une grotte !)

E

Parapluie-torche laser

F) Il peut servir de RADEAU DE SECOURS (en cas de naufrage !)

F

Parapluie-radeau

arapluie-rochet

G

G) On peut l'utiliser comme CROCHET (pour repli stratégique !)

H) Il est TÉLESCOPIQUE * et peut servir de perche pour le saut en hauteur (pour les agents secrets les plus athlétiques !)

H

Parapluie-perche

I) Enfin, c'est aussi un BOUCLIER PROTÈGE-TOUT (pour les cas désespérés !)

I

Parapluie-bouclier

* C'est-à-dire formé de plusieurs tubes coulissants, comme un télescope.

Je MARMONNAI :
– Du saut à la perche ? Quelle drôle d'idée ! Je ne suis PAS un gars, *ou plutôt un rat*, athlétique !
La mallette était pourvue de deux bretelles à l'arrière. Je me l'accrochai sur le dos après y avoir rangé le parapluie. Le téléphone de la chambre sonna à ce moment-là :

DRING DRING DRINNNNNNG !

Euh, non, je n'ai pas peur !

C'était Énorate, qui m'ordonna :
– Agent spécial Zéro Zéro G, descends tout de suite dans le hall. Écoute bien les instructions : nous nous ferons passer pour des touristes de base et notre visite de la ville s'achèvera au **COLISÉE**... Mais il sera impossible d'y entrer : depuis une semaine, il est hanté par le fantôme d'un gladiateur qui TERRORISE tous les visiteurs ! Allez, descends, je t'attends en bas. À propos, cette

MISSION s'annonce extrêmement dangereuse. Mais tu n'as peur de rien, n'est-ce pas ?

Je murmurai :

– Euh, non, bien sûr que non !

Tu n'as peur de rien, n'est-ce pas ?

Mais mes moustaches VIBRAIENT de frousse et c'est ainsi, le cœur lourd d'appréhension et avec mille questions à l'esprit, que je **DESCENDIS** dans le hall avec Benjamin et Traqueline.

Mais pourquoi, pourquoi, pourquoi

ai-je accepté de devenir agent secret ?

UN CRI AU CRÉPUSCULE

Nous dégustâmes une pizza aux légumes au restaurant de l'hôtel, puis nous **GRIMPÂMES** dans un bus pour visiter la ville.

Le guide **commentait** les endroits remarquables :

– Voici le Forum romain, cœur de la vie des citoyens de la **ROME ANTIQUE**... Au fond,

vous pouvez voir la Domus aurea, ou Maison dorée, aux plafonds ornés d'or et de pierres précieuses, où vivait l'empereur Néron ! Nous arrivons aux THERMES, que fréquentaient tous les citoyens... Et voici la via Appia, une ancienne voie romaine...

Benjamin S'ÉCRIA, enthousiaste :

– Ancienne voie romaine ? Thermes ? Waouh, c'est trop bien ! Dis-moi, tonton G, qui a construit ça, et quand ? Oh, tu avais raison, L'HISTOIRE, C'EST RABULEUX !

Trop bien, tonton G !
Et voici la porta San Paolo et la Pyramide de Cestius !
Rome tour

ROME, UNE VILLE RABULEUSE

Voici le **château Saint-Ange**, qu'on appelle aussi le mausolée d'Hadrien. Il est relié au Vatican par un couloir fortifié dit *il passetto di Borgo*, ou simplement *il passeto*, c'est-à-dire le « petit passage ».

Et voilà la **fontaine de Trevi**, de style baroque. Elle est célèbre dans le monde entier depuis le film de Federico Fellini *La dolce vita*, avec Anita Ekberg et Marcell Mastroianni.

La **via Appia Antica** est peut-être la première autoroute connue. Il s'agit d'une voie romaine qui reliait Rome à Brindisi, un port important pour le commerce avec la Grèce et l'Orient dans l'Antiquité.

La **colonne Trajane** fut bâtie en 113 pour célébrer la conquête de la Dacie (actuelle Roumanie) par l'empereur Trajan.

Le **Forum romain** était, dans l'Antiquité, le lieu de rencontre de tous les citoyens. Ils s'y réunissaient pour discuter des affaires politiques, économiques et religieuses.

Les **thermes de Caracalla** sont les plus grands et luxueux dont nous ayons gardé des vestiges. Dans ces bains, de nombreux Romains venaient nager, faire de la gymnastique ou simplement rencontrer des amis et se détendre.

Le **Colisée,** nommé à l'origine « amphithéâtre Flavien », est le plus grand amphithéâtre jamais construit dans l'Empire romain !

Je souris, SATISFAIT : Benjamin commençait à se passionner pour l'HISTOIRE !

À ce moment précis, Traqueline me fit remarquer qu'une INTERMINABLE limousine à motif léopard semblait nous suivre…

BIZARRE !

Elle me rappelait furieusement la voiture de madame Non !

Mais que pouvait-elle bien faire ici, à Rome ?

Tandis que je m'interrogeais, nous arrivâmes devant le Colisée. **QUELLE ÉMOTION !**

On s'en va, les enfants !
Quelle frousse, un fantôme !
Bah ?!

En descendant du bus, je vis de nouveau la *luxueuse* limousine à motif léopard et aux vitres teintées, à l’arrêt devant le Colisée…

BIZARRE !

Le guide annonça :

– Mesdames et messieurs, notre tour comprend une **visite** du Colisée, mais depuis une semaine personne n’ose y entrer ! **Il paraît qu’il est hanté par un fantôme…**

Au guichet du monument, une rongeuse nous tendit des tickets.

– Alors, vous les voulez, ces tickets ?

Le directeur du Colisée, un *aimable* rongeur à l’allure distinguée, nous encouragea :

– Je vous en prie, chers amis touristes, entrez donc…

INGRESSO
Entrée
BIGLIETT
Tickets
’est hors
le question !
Mieux vaut
éviter…
Je vous en prie,
entrez !

Madame Non

Nom : madame Non

Profession : elle est la présidente-directrice générale de la société E.G.O. (Extrêmement Grosse Organisation), une puissante compagnie qui fait des affaires en tout genre et qui a des ramifications partout. Elle construit des centres commerciaux et des gratte-ciel, possède des lignes aériennes, des journaux et des télévisions... Quand on demande quelque chose à madame Non, elle ne sait répondre que par : NON !

Sa passion : les robots, les automates et les animatroniques. Elle en fait fabriquer de toutes sortes pour mener à bien ses affaires louches.

Sa manie : elle raffole du motif léopard, et pas seulement sur ses vêtements et sur ses accessoires ! Elle possède une limousine à motif léopard qui l'accompagne partout !

Sa devise : « Je gagne toujours, partout et à tout prix ! »

Son credo : elle croit en elle-même ! Elle a confiance en ses capacités et est persuadée de tout faire mieux que tout le monde.

Son secret : madame Non est la fidèle collaboratrice de Mister Mistery, un rongeur louche dont personne ne connaît l'identité ni l'aspect, et qui déploie de suspectes activités sur l'île des Souris !

Son ambition : devenir la rongeuse la plus riche et la plus puissante de toute l'île des Souris.

À cet instant, tandis que le **CRÉPUSCULE** teintait le ciel d’orangé, retentit un hurlement affreux...

– TREMBLEEEZ, VOUS QUI ENTREEEZ... JE SUIS LE GLADIATEUUUR !

Baratin et Escobar Bidon

Traqueline couina :

– Quel cri affreux ! J'en ai les moustaches **GLACÉES** !

Énorate commenta à mi-voix :

– Voilà qui **TERRORISERAIT** n'importe qui. Mais pas toi, tu n'es pas terrorisé, n'est-ce pas, agent Zéro Zéro G ?

La frousse me faisait claquer des dents, mais je fis un effort et je **BREDOUILLAI** :

– Mai-mais p-pas d-du t-tout, É-Énora-rate, je-je n'ai-n'ai p-pas pe-peur d-du t-tout...

Juste à ce moment-là, un rongeur à l'air faraud se dirigea vers l'entrée du Colisée, et je le reconnus aussitôt : c'était *Baratin Bidon*, un célèbre journaliste de l'île des Souris !

Je le connaissais de réputation, mais il ne m'était

pas très **sympathique** : sans aucun scrupule, il était capable de faire n'importe quoi pour décrocher un scoop pour son journal, **Chasse au scandale**.

Il me reconnut lui aussi et fit la grimace.

– Mais c'est Stilton, *Geronimo Stilton* ?! Qu'est-ce que tu fiches ici ?

Je lui **SOURIS**.

– Oui, c'est bien moi, Stilton, Geronimo Stilton ! Je suis venu à Rome pour visiter le **COLISÉE**.

Il clama sur un ton dramatique :

– Personne ne peut entrer dans le Colisée… Il

paraît qu'il est hanté... par **un fantôme très dangereux** !

Puis il se tourna vers son cadreur (et cousin), **Escobar**.

– Mais bientôt, nous deux, envoyés spéciaux de la revue *Chasse au scandale,* nous allons y entrer quand même, et nous reviendrons avec le **scoop de l'année**, ou plutôt **du siècle**, mais que dis-je... **du millénaire** !

Escobar ricana :

– Ouais, Baratin, c'est vrai !

Le directeur du Colisée tenta de **RASSURER** les touristes :

– Non vraiment, il n'y a rien à craindre !

La foule des touristes applaudit.

– C'EST BIEN, BRAVO!

– C'EST BIEN, BRAVO!

– C'EST BIEN, BRAVO!

Les deux cousins entrèrent… Cinq minutes s'écoulèrent… et ils rebroussèrent chemin en hurlant, **TERRORISÉS** !

Ils étaient blêmes comme des MOZZARELLAS, et nous les questionnâmes :

– Eh bien alors, qu'avez-vous vu ?

Baratin reprit son SOUFFLE et bégaya :

– **UN-UN FAN-FANTÔ-TÔME !**

UN VRAI-VRAI FAN-FANTÔ-TÔME...

habillé en gladiateur... au centre de l'arène... il nous a poursuivis, l'épée à la main, pour nous embrocher... **QUELLE FROUSSE !**

Tous les touristes tournèrent les talons et filèrent en criant :

– C'est affreux, nous ne voulons plus **visiter** le Colisée !

Le directeur essaya de les retenir :

– Mais enfin... c'est un monument **passionnant**... si ANCIEN... d'une si grande valeur *historique* !

Les touristes ne voulurent rien savoir, et en s'éloignant répondirent :

– C'est hors de question, gardez-le, votre Colisée !
Le directeur resta tout seul devant son monument, S'ARRACHANT les moustaches de désespoir.
– Hélas, je suis fichu ! Je vais perdre mon travail, d'ailleurs je l'ai DÉJÀ PERDU, puisque plus PERSONNE ne veut entrer au Colisée !
La rongeuse du guichet ferma le portillon et, toute penaude, S'EN ALLA.
– Directeur, je ne viendrai pas travailler demain. De toute manière, je n'ai pas vendu un seul ticket depuis une semaine !

Hélas, je suis fichu !
Je ne viendrai pas travailler demain !

COMMENT OSES-TU DÉFIER LE GLADIATEUR FANTÔME ?

Le directeur s'étant mis à sangloter, Énorate et moi nous approchâmes pour le réconforter...
Énorate le rassura de son mieux :
– Monsieur le directeur, **ne vous inquiétez pas !** À présent, Stilton va entrer dans le Colisée et il prouvera qu'il ne s'y trouve pas l'ombre d'un **FANTÔME**, car... les fantômes n'existent pas ! N'est-ce pas, Geronimo ?
J'avais quelques doutes à ce sujet, et je susurrai :

– EUUUH, JE FERAI DE MON MIEUX, HEIN, BIEN SÛR, MAIS...

Sur quoi, elle me poussa vers l'entrée.
– Allons allons, ne fais pas ton modeste, Geronimo.
Benjamin couina :

– Bonne chance, tonton G !

Et Traqueline me lança :

– Gare à ton pelage, tonton Ger !

Je tentai de SOURIRE, même si, de frousse, mes dents claquaient comme des castagnettes.

Puis je m'avançai vers l'entrée, les PATTES aussi molles que des quenelles...

Pour avoir moins peur, je me répétais à MOI-MÊME :

Allons allons, entre dans le Colisée !
Les fantômes n'existent pas...

– Les fantômes n'existent pas… Les fantômes n'existent pas… Les fantômes n'existent pas…

À l'intérieur, tout me sembla calme. Un SILENCE de plomb régnait, et je pus observer l'arène circulaire au centre du Colisée, et les antiques **GRADINS** délabrés tout autour de moi…

Rassuré, je fis quelques pas, en continuant à me RÉPÉTER :

– Les fantômes n'existent pas… Les fantômes n'existent pas… Les fantômes n'exis…

Comment oses-tu défier le gladiateur fantôme ?
COMMENT OSES-TU DÉFIER LE GLADIAT
COMMENT OSES-TU DÉFIER LE GLADIAT

Mais je ne pus finir ma phrase car soudain, devant moi, APPARUT un colossal gladiateur, armé d'un glaive et d'un bouclier, les armes des **GLADIATEURS ROMAINS** !

Il s'avança, menaçant.

– COMMENT OSES-TU DÉFIER LE GLADIATEUUUR FANTÔÔÔME ? TU VAS LE REGRETTEEEER !

Puis il se lança à ma poursuite. Mais je m'enfuis, rapide comme le VENT : vous n'imaginez pas à quel point je cours vite quand j'ai la trouille !

ÔME ? COMMENT OSES-TU DÉFIER LE GLADIATEUR FANTÔME ?

Au secouuurs !

Le GLADIATEUR FANTÔME était à mes trousses et ses PAS LOURDS faisaient trembler le sol, mais je parvins à m'échapper au-dehors et je refermai le portail du Colisée avec un tel BLANG qu'on dut l'entendre à l'autre bout de la ville !
Pleins d'espoir, Énorate, Traqueline, Benjamin et le directeur me demandèrent :
– Alors ? Dis-nous ?
Je m'affalai par terre.
– IL Y A UN FAN-FANTÔME CO-COLOSSAL, IL DIT QU'IL EST LE

GLADIATEUR FANTÔME... AU SECOURS !

Énorate pesta :

– Ça, je le savais déjà, Geronimo ! Apprends-moi **QUELQUE CHOSE** !

Puis elle se pencha sur moi et me siffla dans l'oreille gauche :

– Agent Zéro Zéro G, j'exige que tu retournes là-dedans immédiatement, et cette fois je veux des **résultats** !

Je bafouillai : – MAI-MAIS LE-LE FAN-FANTÔME ?

Elle insista :

– Si c'était une **MISSION** facile, crois-tu que les services secrets seraient sur le coup ? Tu dois penser à utiliser **TOUT** ce que contient ta mallette M.A.S. si tu veux sortir de là vivant, compris ? Vérifie que tout y est !

Je laissai les petits en compagnie d'Énorate et j'allai

m'asseoir sur un BANC devant le Colisée pour passer en revue le contenu de la précieuse mallette. J'y pris la carte de Rome et un sachet en plastique avec une étiquette indiquant : « Panoplie de gladiateur romain sous vide. Tirer sur le cordon pour lui redonner ses dimensions normales ».

Une panoplie de gladiateur ?
Tirer sur le cordon ?

Je tirai donc sur le **CORDON**, et je vis en effet se déployer une panoplie de gladiateur, parfaite dans ses moindres détails, y compris le bouclier et le glaive (également sous vide !)...
Je me dépêchai de l'**enfiler** !

Une glace à la noix de coco, avec supplément chantilly !

Sur ce, je m'aperçus qu'au dos de la carte était écrit : « INSTRUCTIONS POUR L'ACCÈS À L'ENTRÉE SECRÈTE DU COLISÉE : devant le monument se trouve un vendeur de glaces. Il t'expliquera comment accéder à l'entrée secrète du Colisée ; pour te faire reconnaître, fais-lui une grimace, puis demande une glace à la noix de coco avec supplément chantilly, amandes grillées et cerise confite ! »

J'avisai un **GLACIER** devant moi et je suivis les indications. Mais quand je lui fis la grimace, il me rendit la pareille et me dit :

– Qu'est-ce qui vous permet de me faire une grimace, malpoli ?

À ce moment-là, je vis un **autre** glacier, juste

Pffflll...
Qu'est-ce qui vous prend?

en face du Colisée, et je me précipitai vers lui. Quand je lui fis la grimace, il me fit un clin d'œil et me tendit une glace à la noix de coco. Après deux coups de langue, je tombai sur un billet : « Agent secret Zéro Zéro G, FAIS TRENTE PAS VERS LA DROITE en direction du kiosque devant le Colisée, puis QUATRE PAS VERS LA GAUCHE en direction de l'arbre tordu, poursuis tout droit vers la fontaine PENDANT DIX PAS, puis PIVOTE sur toi-même, et tu verras une plaque en fonte : glisse-toi dessous (ATTENTION : avant cela,

Blah!

Agent secret Zéro Zéro G, fai
TRENTE PAS V RS LA DROIT
en direction du kiosque devan
le Colisée, puis UATRE PAS
en directio
l'arbre tordu, poursuis tout dr
vers la fontaine ENDANT DIX
PAS, puis PIVOT sur toi-mê
et tu verras une plaque en fo
glisse-toi dessous (ATTENTIO
AVANT CELA, PLACE SUR TO
MUSEAU LA PINCE À LINGE Q
SE TROUVE DANS LA MALLET

PLACE sur ton museau la pince à linge qui se trouve dans la mallette). »
Je M'ÉTONNAI : pourquoi devais-je me pincer le museau ainsi ? Toutefois, je suivis les indications, je soulevai la plaque et je me GLISSAI dessous.
Dès que j'eus refermé au-dessus de moi, je compris… Cela puait horriblement !
Je venais d'entrer dans un ÉGOUT !

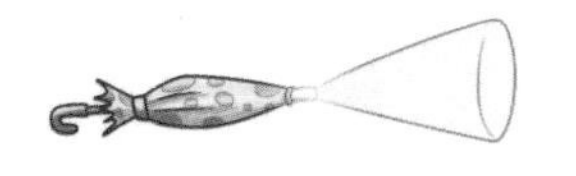

PASSAGE SECRET !

Quelle OBSCURITÉ là-dedans !

Je chaussai les lunettes pour vision nocturne rangées dans la mallette et j'avançai sur le quai ÉTROIT qui longeait le canal d'écoulement, plein d'une eau mousseuse et PUTRIDE. Rien qu'à l'idée de tomber dedans, je frissonnais. Brrr... quelle frousse féline !

De temps à autre, j'entendais un fort vrombissement : BZZZZZ, ainsi que d'étranges cliquetis métalliques, CLIC, CLAC. Pour mieux m'orienter, j'allumai mon parapluie, c'est-à-dire sa fonction torche laser.

Enfin, je distinguai un graffiti sur le mur d'en face. Tracé à la peinture phosphorescente, il luisait dans le noir : « AGENT ZÉRO ZÉRO G, GRIMPE

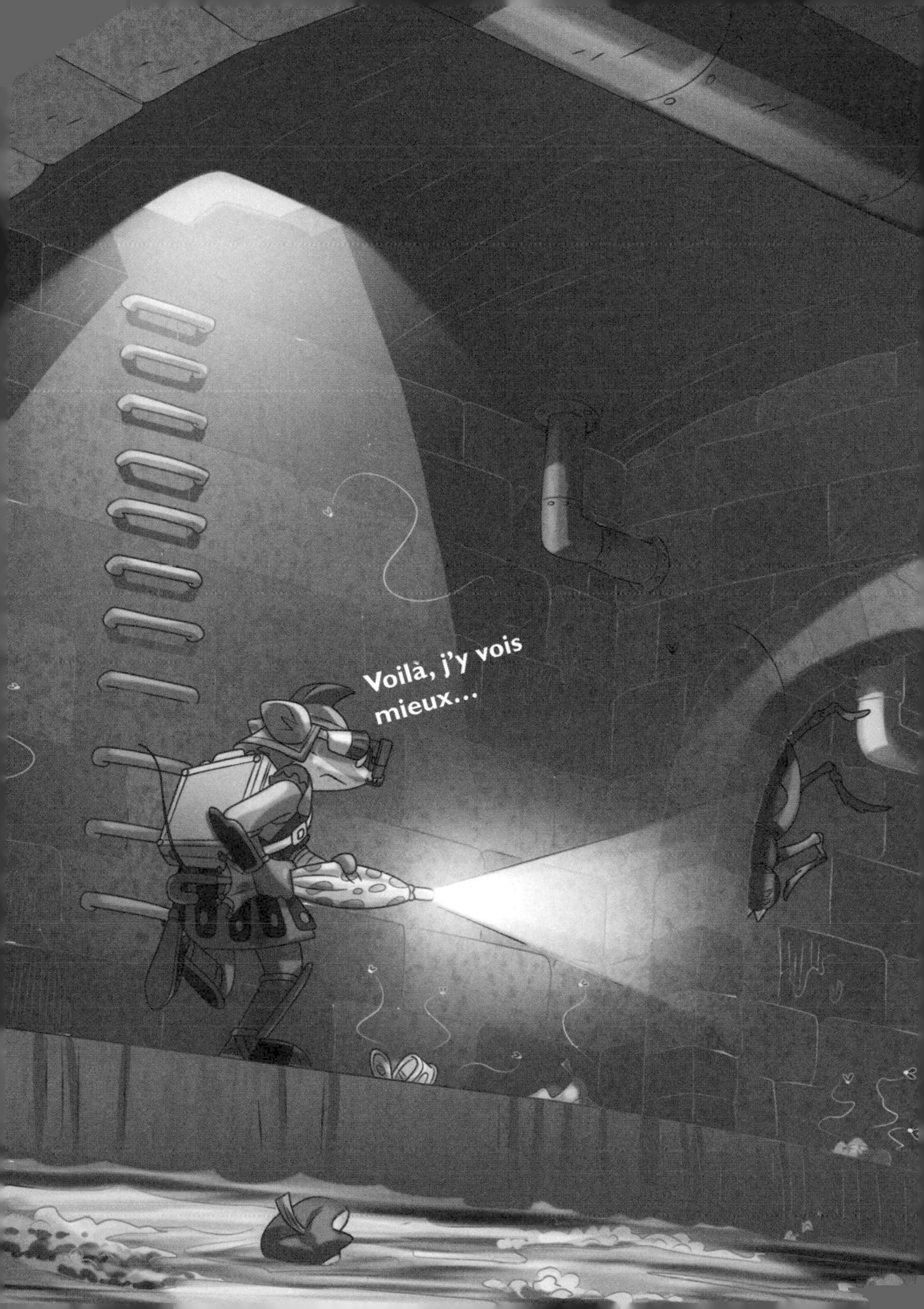
Voilà, j'y vois
mieux…

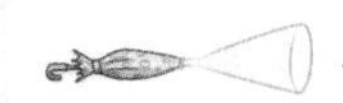

À CETTE ÉCHELLE ET TU ARRIVERAS À L'INTÉRIEUR DU COLISÉE ! »

Je me hissai précautionneusement sur l'échelle glissante, sans **REGARDER** en-dessous de moi (brrr… je suis sujet au vertige !), puis je soulevai une autre **PLAQUE** en fonte et je me retrouvai… dans une pièce grouillante d'araignées géantes !

Des ARAIGNÉES GÉANTES,

ici ? Elles étaient des dizaines qui gambadaient sur leurs énormes TOILES et me reluquaient, l'air hostile, avec leurs petits yeux qui me fixaient, VORACES...

Je tentai aussitôt de m'échapper (car, je l'avoue, les araignées me font une certaine IMPRESSION !), mais j'étais englué dans les fils COLLANTS de leurs toiles...

À un moment donné, je parvins à me LIBÉRER des toiles, et j'en profitai pour filer… Je croyais m'en être tiré, quand la plus grosse des araignées décida de me suivre…

Je courus aussi VITE que possible, puis je bondis à travers une petite ouverture et… mon postérieur resta coincé ! Décidément, j'avais dû manger trop de pizza !

À cet instant, l'araignée me piqua l'arrière-train et je poussai un cri :

– AIIIIIIIIE !

Alors, avec l'énergie du désespoir, je me DÉCOINÇAI

et je me retrouvai à l'extérieur de la pièce. Oh non, j'avais oublié la M.A.S. (Mallette Agent Secret) ! Je tâtonnai de la PATTE et, péniblement, la récupérai…

SCOUIIIT ! J'Y ÉTAIS ARRIVÉ !

AU TEMPS DES GLADIATEURS ?!

OUF ! QUELLE AVENTURE !

Je me retournai... et je poussai un hurlement : Énorate était là, plantée devant moi !

Je bredouillai :

– Ne-ne me-me fai-fais plus ja-jamais une bla-blague pareille ! Comment es-tu entrée ?

Elle chuchota :

– Par un autre passage secret. N'oublie pas que je suis moi aussi un AGENT SECRET ! Bon, j'ai décidé de venir t'aider, car sans moi TU NE T'EN SORTIRAS JAMAIS. J'ai aussi emmené Traqueline et Benjamin, mais je ne leur ai pas dit que nous étions des agents secrets, compris ?

Derrière elle, je vis pointer deux museaux familiers : c'étaient mon neveu et sa cousine.

– Salut, **TONTON** !

– On est venus à la rescousse, tonton G !

Inquiet, je répondis :

– C'est beaucoup trop dangereux !

– Mais non, rétorqua Benjamin, c'est une super **AVENTURE** ! Je suis trop content d'être ici à Rome avec toi, tonton, c'est le plus beau voyage qu'on ait jamais fait ensemble ! J'adore tous ces monuments **ANTIQUES**... Tu avais raison, l'histoire, c'est vraiment génial !

À ces mots, je me dis qu'au moins cette escapade aurait pour **RÉSULTAT** d'intéresser enfin mon neveu à l'histoire !

Énorate ajouta à mi-voix :

– Stilton, je ne pouvais pas les laisser tout seuls, je les ai donc EMMENÉS avec moi !

C'est seulement à ce moment-là que nous jetâmes un coup d'œil à la ronde : nous étions dans les souterrains du Colisée.

Jadis se trouvaient là les pièces où les **GLADIATEURS** se préparaient aux combats et celles où l'on entreposait la machinerie servant aux effets spéciaux pendant les SPECTACLES. J'expliquai aux souriceaux qu'il s'agissait hélas de spectacles cruels, avec des combats entre gladiateurs et d'autres contre des **ANIMAUX** sauvages... L'**EMPEREUR ROMAIN** prenait place dans la loge qui lui était destinée, entouré de ses **CONSEILLERS** et des citoyens les plus influents.

LES GLADIATEURS

e **Colisée**, le plus grandiose amphithéâtre romain, fut inauguré par l'empereur 'itus en 80. Il pouvait recevoir au moins **50 000 personnes**. Pour gagner a ferveur du peuple, l'empereur et sa cour organisaient dans son enceinte es célèbres **jeux** : des spectacles publics au cours desquels les gladiateurs ombattaient entre eux ou affrontaient des animaux provenant de tous les oins de l'Empire. Le Colisée était parfois rempli d'eau pour les besoins des **aumachies**, des batailles navales où les gladiateurs combattaient à bord de etites embarcations.

Le mirmillon
Il portait une armure de style gaulois, avec un casque souvent orné d'un poisson et un grand bouclier rectangulaire. Il combattait, pense-t-on, torse et jambes nus.

Le thrace
Il portait l'armement du peuple thrace : un couteau à lame courbe tranchant des deux côtés, un petit bouclier carré et convexe et des jambières.

Le rétiaire
Il utilisait son filet muni de poids pour immobiliser l'adversaire. Il était aussi armé d'un trident.

Le secutor
Adversaire du rétiaire, il était coiffé d'un casque de forme arrondie, armé d'un grand bouclier et d'un glaive.

LE COLISÉE

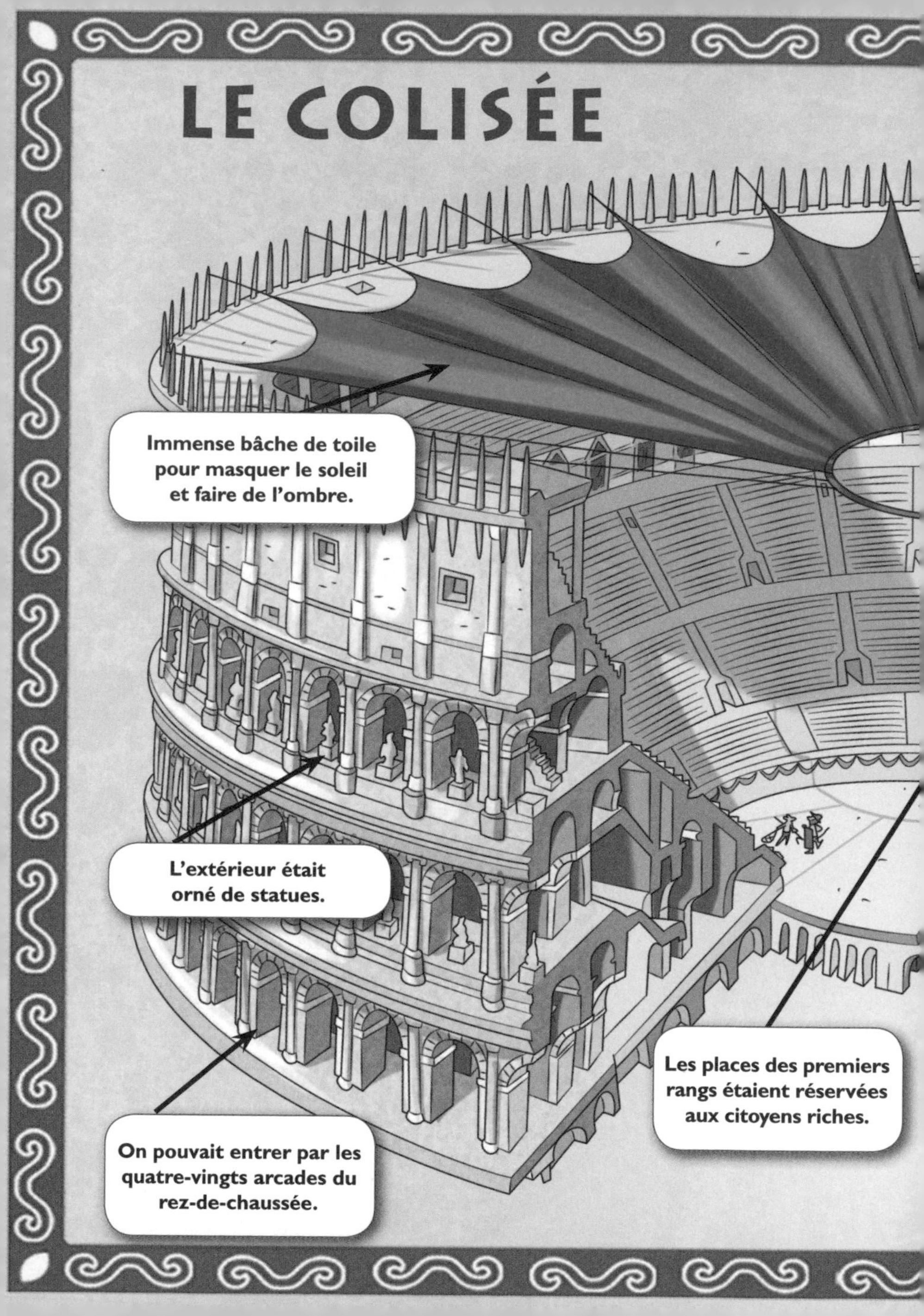
Immense bâche de toile pour masquer le soleil et faire de l'ombre.
L'extérieur était orné de statues.
On pouvait entrer par les quatre-vingts arcades du rez-de-chaussée.
Les places des premiers rangs étaient réservées aux citoyens riches.

Pieux servant à tendre la bâche.
Gradins pour les spectateurs.
Sous l'arène, un labyrinthe de cellules et de couloirs, et la machinerie.
Le poids énorme des gradins était soutenu par ces arches.

Soudain, je remarquai ÇÀ et LÀ des objets antiques qui n'auraient pas dû y être : chars en cuivre et en bois, armes accrochées aux murs... Puis je commençai à entendre des voix au loin, et les HURLEMENTS DE LA FOULE, comme si les gladiateurs étaient de retour dans l'arène, prêts au combat.

QUE SE PASSAIT-IL ?

Mais qu'est-ce que ce matériel fait ici ?

Était-il possible que le Colisée ait remonté le temps… remonté le temps… remonté le temps… remonté le temps… remonté le temps… remonté le temps… remonté le temps… remonté le temps… remonté le temps… remonté le temps…

remonté le temps… remonté le temps… remonté le temps… remonté le temps… remonté le temps… remonté le temps… remonté le temps… remonté le temps… jusqu'

AU TEMPS DES GLADIATEURS ?

Je tiens à mes moustaches, moi !

Nous entendîmes brusquement un GRONDEMENT. Nous gravîmes un escalier vers la surface, qui menait DEVANT l'une des entrées de l'arène, et nous restâmes cachés derrière une lourde porte en bois.

Je l'entrouvris et je jetai un COUP D'ŒIL dehors… Je vis alors un spectacle incroyable : des milliers de Romains d'autrefois étaient assis sur les GRADINS !

Rongeuses, rongeurs et souriceaux, paysans, marchands, prêtres, soldats : des Romains de tous âges et de toutes conditions sociales attendaient le début des combats.

Face à nous se trouvait la grande LOGE où siégeait l'empereur, entouré de ses conseillers !

L'empereur leva la main et la foule l'ACCLAMA. Une porte latérale s'ouvrit et il en sortit un guerrier qui se dirigea vers le CENTRE de l'arène.

C'ÉTAIT LE GLADIATEUR FANTÔME !

Il se mit à s'échauffer en faisant des moulinets avec son glaive, tandis que nous nous BLOTTISSIONS derrière la porte : il était vraiment tout près !
Et tout à coup le gladiateur fantôme donna un coup de qui effleura mon casque et me trancha net un poil de moustache !

Regardez : le gladiateur fantôme !

Je ne pus me retenir et je hurlai :

– **À L'AIDE, JE TIENS À MES MOUSTACHES, MOI !**

Énorate murmura :

– Oh oh… comme c'est bizarre ! S'il t'a tranché un poil de moustache, CE N'EST PAS UN FANTÔME, c'est un

VRAI GLADIATEUR !

Malheureusement, le gladiateur m'avait entendu hurler… Il cessa de s'échauffer pour se lancer à nos trousses ! Nous nous enfuîmes à toutes PATTES, mais, hélas, il était très rapide ! Il gagnait du terrain, quand Énorate me cria :
– Vite, Stilton, la MALLETTE !
Je fouillai frénétiquement la mallette en cherchant une idée : que pouvais-je donc utiliser pour arrêter ce dangereux poursuivant ?
Ah, mais oui ! J'ouvris vite un sachet de SUPERMÉGACOLLE et je le posai par terre…
Avec un gros PLOP la colle se répandit en une FLAQUE SUPERMÉGAGLUANTE, et le gladiateur s'y trouva englué !

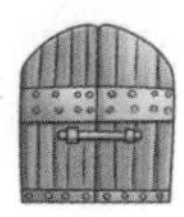

Malheureusement, il ôta ses sandales et se remit à nous POURSUIVRE… Énorate cria derechef :

– La mallette, Stilton !

Je fouillai à nouveau, et cette fois-ci je choisis la PILULE GRISE : je la jetai au sol, et aussitôt un nuage d'une dense fumée grise s'éleva et nous cacha aux yeux de notre assaillant.

Nous courions à présent vers le sommet des gradins, tandis que la foule hurlait, encourageant le **GLADIATEUR** :

ATTRAPE-LES ! ATTRAPE-LES ! ATTRAPE-LES !

Je me retournai vers la loge de l'empereur pour plaider notre cause.
– Pardon, empereur, mais nous n'avons RIEN fait, arrêtez ce gladiateur !
Mais Énorate me saisit aussitôt par l'oreille et m'**ENTRAÎNA**.
– Par ici, Stilton, si tu tiens à ton pelage !

SAUVÉS ? HÉLAS, NON…

Bientôt, notre fuite toucha à son terme : nous étions désormais au sommet du **COLISÉE**. Impossible de redescendre, à cause du gladiateur, ni de MONTER plus haut !

Traqueline et Benjamin commençaient à paniquer :

– Tonton G, comment allons-nous **échapper** au gladiateur fantôme ?

Par mille mimolettes, nous étions piégés !

QUE FAIRE ?
QUE FAIRE ?
QUE FAIRE ?

Que faire ?

Énorate marmonna :

– Il faut qu'on trouve une solution, et vite… car ce gladiateur nous aura bientôt rattrapés !

Et il n'est pas tout seul…

À cet instant, Benjamin chicota :

– REGARDEZ de ce côté : des soldats romains… Ils viennent vers nous !

Énorate couina :

– J'ai une idée !

Elle SE SAISIT du parapluie, pressa un bouton spécial, et il se transforma en…

montgolfière !

Nous bondîmes à bord de sa nacelle et nous bouclâmes nos ceintures de sécurité. Puis,

lentement,

doucement, légèrement,

nous planâmes, avant de nous poser tout en bas, au centre de l'arène, LOIN de nos poursuivants.

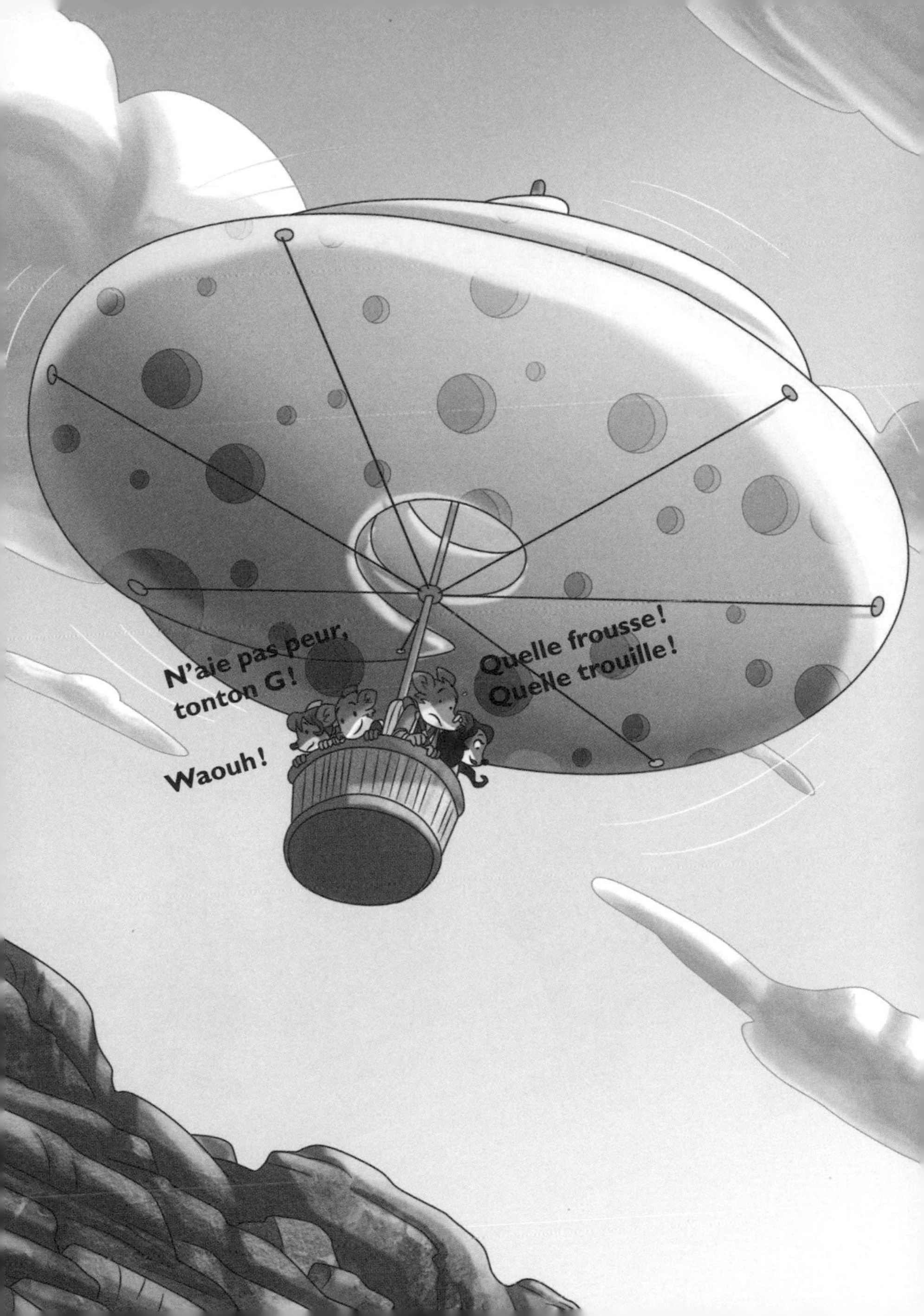
N'aie pas peur,
tonton G !
Waouh !
Quelle frousse !
Quelle trouille !

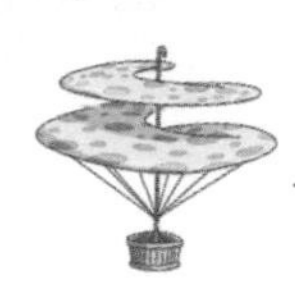

Nous étions sauvés ! Hélas, non…

Car je m'aperçus alors qu'il y avait des lions dans l'arène !

L'un d'eux s'approcha, ouvrit une gueule menaçante et poussa un terrible rugissement. Je fis front, courageusement, me plaçant devant Benjamin et Traqueline pour les protéger. Tandis que le fauve se préparait à bondir, j'activai la fonction bouclier du parapluie !

Je suis là,
ne craignez rien !

Quand le lion **s'élança**,

je me préparai à l'impact, me cachant le museau de la patte, mais…

IL NE SE PASSA RIEN!

RIEN! RIEN! RIEN! RIEN! RIEN! RIEN! RIEN! RIEN! RIEN! RIEN!

COMMENT OSES-TU, STILTON ?

C'est alors, seulement alors, que je vis, PROJETÉE sur ma patte, l'image d'une patte de lion…
Quel était donc ce mystère ?
Passé un instant de SURPRISE, je regardai attentivement autour de moi et soudain, enfin, je remarquai les nombreux faisceaux de LUMIÈRE qui fusaient d'autant de méga projecteurs cachés derrière les tribunes du **COLISÉE** ! Mais… alors…

TOUT ÉTAIT FACTICE…
TOUT CELA N'ÉTAIT QU'ILLUSION !

Je courus vers les gradins sur lesquels se pressait la foule qui encourageait le gladiateur et… je rebondis contre une **TOILE BLANCHE** : c'était un écran !

Par mille mimolettes, tout le Colisée avait été transformé en un gigantesque cinéma 4D, avec plein d'EFFETS SPÉCIAUX, odeurs comprises !
Alors, je *M'ÉLANÇAI* vers celui qui disait être le gladiateur fantôme, qui venait de débouler à nouveau dans l'arène, en lui criant, rageur :
– Tu ne me fais pas peur, je sais que tu n'es pas réel ! Tu n'es qu'une imag…

SBLANG !

Par mille mimolettes, je croyais que j'allais passer À TRAVERS une image projetée, comme celle du lion, mais ce n'en était pas une : c'était un automate en **ACIER** !

SCOUIIIT ! QUEL TERRIBLE CHOC !

Tu ne me fais pas peur ! Je sais que tu n'es pas réel !

L'automate se démantibula en grésillant :
– GZZZ je t'attrap... GZZZ... je suis le gladiat... GZZZKRRR... fantô... KRRRGZZZ...
Et dans un dernier grésillement, il s'éteignit et se figea, inerte, en un piteux tas de ferraille.
De derrière la loge de l'empereur, un hurlement s'éleva :
– NOOON ! COMMENT OSES-TU, STILTON !

Je me ruai vers la loge, j'arrachai l'écran et… je tombai sur une salle de contrôle secrète, tapissée de méga ordinateurs !
Nous sommes démasqués !
Vous, ici !

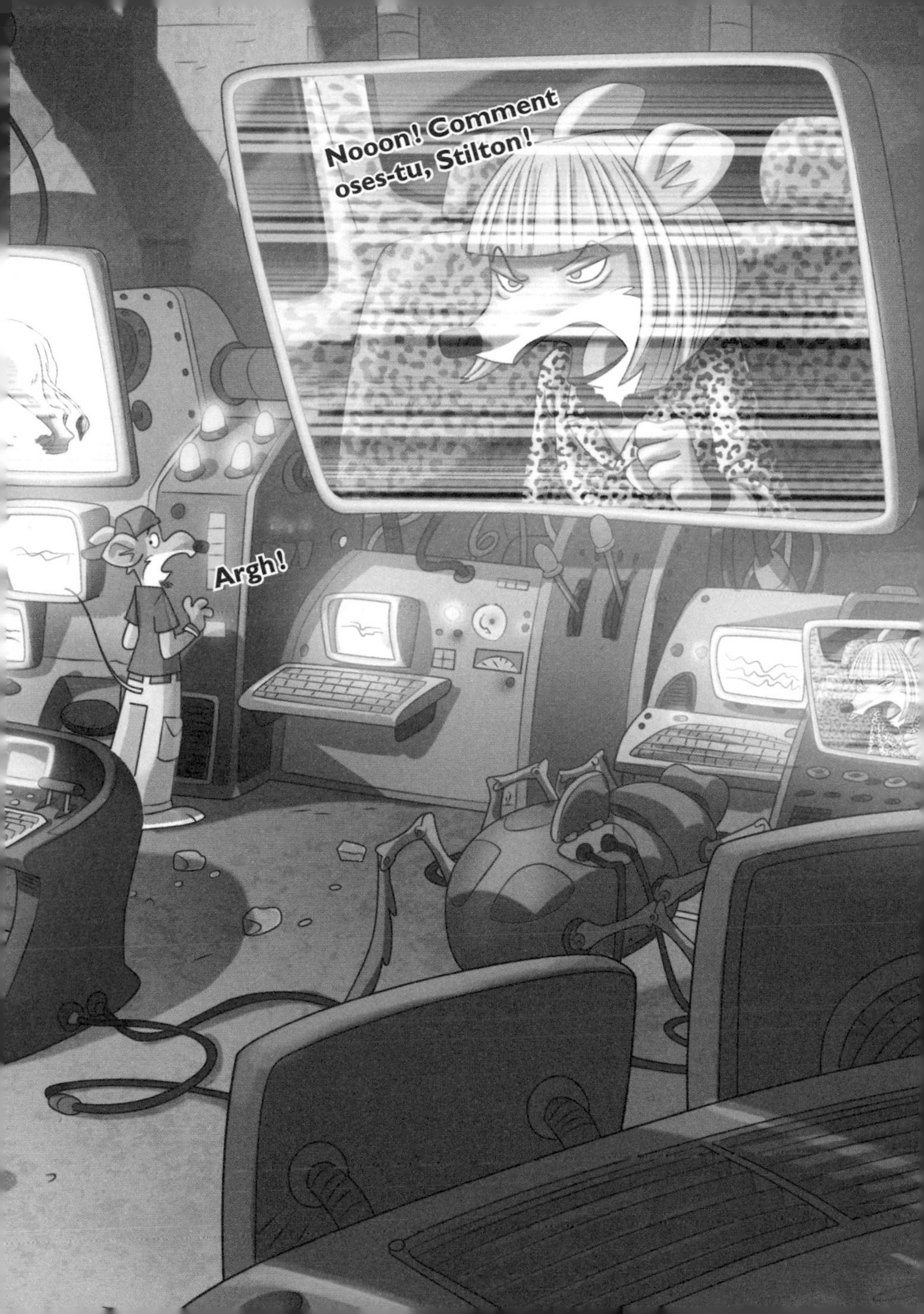
Nooon ! Comment
oses-tu, Stilton !
Argh !

Aux commandes de ces ordinateurs se tenaient Baratin et **Escobar Bidon** !

Raperlipopette, quelle bande de rats d'égout

Puis, sur un écran **géant** connecté à Internet, je la vis, elle, elle en personne, madame Non, qui hurlait :
– Incapaaables ! Vous n'êtes que des incapaaables !
Mais elle m'aperçut et cria, menaçante :
– Cette fois, tu as gagné, Stilton, mais on se reverra !
Je me penchai vers l'extérieur, juste à temps pour voir disparaître la longue berline aux vitres teintées qui filait en faisant hurler ses pneus !
C'ÉTAIT BIEN ELLE, ELLE EN PERSONNE, MADAME NON !
Les deux crapules me regardèrent, effrayées, puis tentèrent de se carapater à toutes pattes !

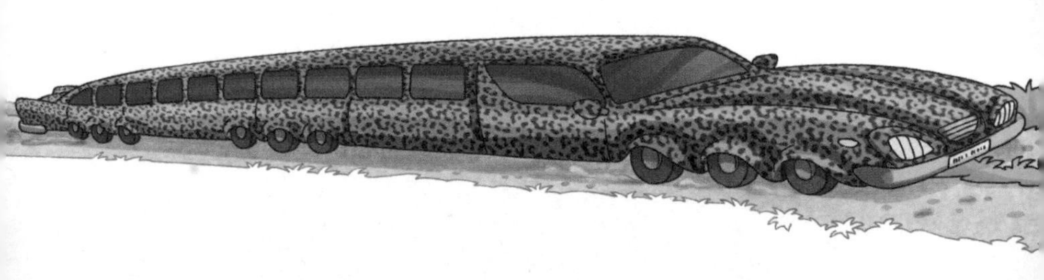

Mais, vif comme un rat, j'avais déjà jeté à terre trois sachets ouverts de SUPERMÉGACOLLE, lesquels se répandirent – **PLOP ! PLOP ! PLOP !** – sur le sol du studio, et les deux gros malins furent pris au piège, prêts à être LIGOTÉS et remis à la police !

À l'aide !
Je suis collé au sol !

À CHAQUE MYSTÈRE SON EXPLICATION...

J'appelai aussitôt la police pour qu'elle vienne prendre livraison des deux CRAPULES.
Le directeur du Colisée était encore un peu confus, il me demanda :
– Pour moi, cela reste un mystère. Comment faisaient-ils donc apparaître le **FANTÔME DU COLISÉE** ?
Je lui répondis :
– À chaque mystère son explication, cher directeur, il suffit de savoir la trouver !
Je poursuivis, en m'adressant aussi au public qui s'était rassemblé autour de nous.

– Madame Non, c'est-à-dire la société E.G.O., avait un plan **TRÈS PRÉCIS** : elle voulait que le Colisée perde de la valeur, et que plus personne ne s'y intéresse, afin de pouvoir l'acquérir à bas prix. Mais pour éviter que l'on sache qu'elle était à la manœuvre, elle a chargé Baratin de monter

l'embrouille du gladiateur fantôme!

Baratin, qui est un journaliste célèbre, a mis en scène son agression par le fantôme de façon que tout le monde soit dupe et que PERSONNE, mais vraiment PERSONNE, ne veuille plus jamais visiter le Colisée ! Après une courte pause, je continuai :

– Pour convaincre tout le monde de l'existence du fantôme, ils ont PROJETÉ un film en trois dimensions très élaboré, grâce à un système de caméras et de haut-parleurs disposés tout autour des gradins de l'amphithéâtre. Ainsi, ceux qui se trouvaient au centre de l'arène avaient l'ILLUSION que tout

cela était réel ! Ils ont pensé aux effets spéciaux : parfum de beignets et de fougasses d'épeautre, odeur de fumier, soufflerie pour créer du vent… Le gladiateur fantôme était en réalité une animatronique* de madame Non, qui en fait fabriquer de toutes sortes et s'en sert de manière malhonnête… Baratin et Escobar étaient chargés de la projection du film et du contrôle du gladiateur fantôme.

J'ouvris grand les pattes en SOURIANT.

– Bref, amies rongeuses et amis rongeurs, tout était factice !

Énorate haussa un SOURCIL et me flanqua un coup de coude en murmurant :

– Donc, espèce de nigaud, les araignées géantes que tu as croisées dans les égouts étaient factices, elles aussi !

Je m'exclamai :

– Bien sûr, quel nigaud je fais ! J'aurais dû y PENSER avant ! Les araignées d'égout géantes n'existent

** Les animatroniques sont des créatures robotisées ou animées mécaniquement.*

pas ! Pourtant, elles semblaient vraies, plus vraies que nature ! Et elles étaient

É-POU-VAN-TABLES !

Quand la police les emmena, Baratin et Escobar me crièrent, **FURIEUX** :

– Mais pourquoi n'es-tu donc pas resté chez toi, Stilton ?

Je leur rétorquai du tac au tac :

– Parce que partout où il y a un **MYSTÈRE** à résoudre, une injustice à réparer et une histoire à raconter aux lecteurs de *l'Écho du rongeur…* je suis à ma place !

Rongeuses et rongeurs :
tout était factice !

Puis j'appelai mon **JOURNAL** :

– Allô ? Ici Stilton, Geronimo Stilton. Je tiens un scoop exceptionnel, son titre :

« MYSTÈRE À ROME : LE FANTÔME DU COLISÉE » !

Sur ce, je leur dictai l'article en racontant dans les détails tout ce qui venait de se passer.

Le lendemain, grand-père Honoré me rappela :

– FÉLICITATIONS, gamin ! Tu as assuré, pour une fois ! Ton papier sur le fantôme du Colisée a fait exploser nos ventes et crever de JALOUSIE toute la concurrence : Sally Rasmaussen, de *la Gazette du rat*, est verte ! HA HA HAAA ! Bravo, gamin, je suis fier de toi !

Puis il ajouta :

– Hem… désolé de t'avoir reproché ce VOYAGE en Italie. Je comprends, maintenant, que tu as besoin de voyager pour trouver de NOUVELLES IDÉES et être au cœur de l'actualité la plus FRAÎCHE… Bref, c'est toi qui avais raison.

Il fit une pause avant de conclure :

– À propos, je ne te dis pas ça très souvent, mais rappelle-toi que

Je souris.

– Merci, grand-père. Moi aussi,

Je raccrochai le téléphone et j'embrassai mon neveu Benjamin et ma petite cousine Traqueline.

– On oublie parfois de rappeler à nos proches qu'on les AIME… et pourtant, c'est la seule chose qu'on ne répète jamais assez ! JE VOUS AIME, les petits…

Benjamin me serra fort.

– Quand je serai grand, tonton, je serai moi aussi un grand journaliste courageux, comme toi !

Traqueline me fit un CLIN D'ŒIL.

– Bah, d'après moi, tu es un peu **TROUILLARD**, tonton Ger, mais

JE T'AIME BEAUCOUP QUAND MÊME !

Énorate me susurra à l'oreille :
– Félicitations, agent spécial Zéro Zéro G, mission accomplie !

Salut, et à bientôt !

Il était l'heure de rentrer. Nous montâmes dans l'avion, en regrettant de devoir QUITTER l'Italie !

Son histoire antique passionnante !
Ses monuments extraordinaires !
Sa gastronomie exquise et variée !
Ses habitants si sympathiques qui ont été si gentils avec moi...

Certes, ma patrie était l'île des Souris, mais j'avais adoré l'Italie, et si j'avais dû quitter Sourisia, c'est là que j'aurais VOULU vivre !

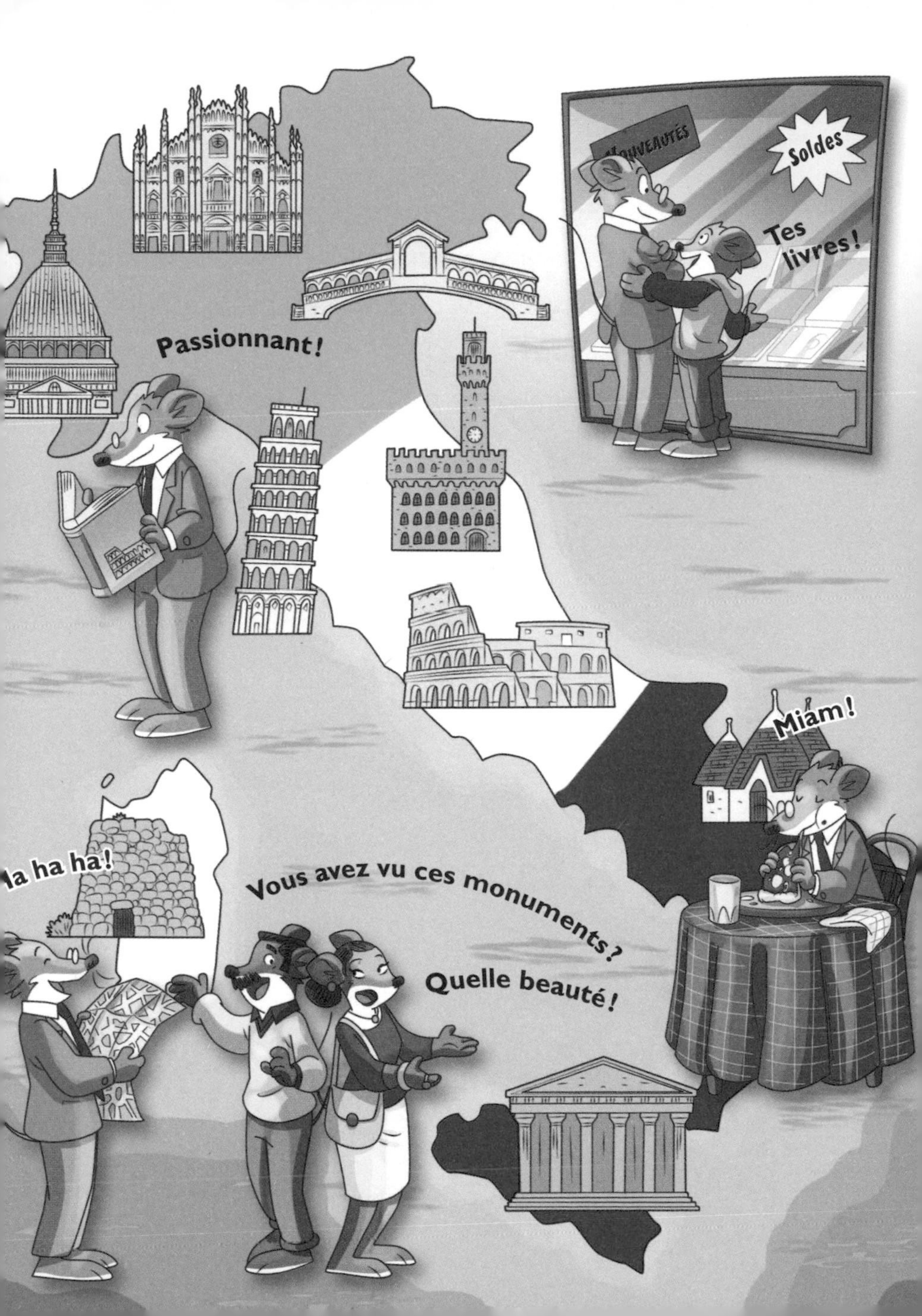

Passionnant !
NOUVEAUTÉS
Soldes
Tes livres !
Miam !
a ha ha !
Vous avez vu ces monuments ?
Quelle beauté !

Quand nous descendîmes de l'avion, devinez un peu qui était là à m'attendre ? TÉNÉBREUSE, venue me chercher avec toute sa famille à bord de sa Tombo-Turbo !

Elle COURUT vers moi et me broya entre ses pattes.

– Tu sais quel jour on est, Chou ? C'est l'anniversaire de nos fiançailles, tu n'as pas oublié, par hasard ?

Je lui répondis gentiment :

Tu sais quel jour
on est, Chou ?

– Ravi de te revoir, chère Ténébreuse ! Mais… je ne sais plus comment te le faire entendre : **nous ne sommes pas fiancés !**

Déçu, Souterrat commenta :

– Vous n'êtes pas fiancés ? Bah… vous le serez un jour, c'est évident ! Il est clair que vous êtes faits l'**UN** pour l'**AUTRE** !

Je proposai alors :

– Pas de fête d'anniversaire de fiançailles, puisque nous ne sommes PAS fiancés, mais il nous reste une chose importante à **FÊTER** : notre amitié ! Vous êtes mes amis et je vous aime ! Vous êtes tous invités à la maison : je vais vous préparer une pizza spéciale, et même **TRÈS SPÉCIALE** !

Tous s'écrièrent, enthousiastes :

– Une pizza ! Vive la pizza !

Ce fut une fête magnifique !

Quand, le lendemain, Benjamin retourna à l'école, il y eut un **devoir sur table** en histoire sur la Rome antique !

PIZZA SPÉCIALE
Agent secret
LA RECETTE DE LA PIZZA
DE L'AGENT SECRET
PIZZA TRICOLORE
AUX LÉGUMES
DEMANDE
L'AIDE D'UN
ADULTE

INGRÉDIENTS :

- 500 g de pâte à pizza
- 200 g de fromage frais
- 150 g de courgettes
- 100 g d'aubergines
- 100 g de tomates cerises
- Thym et romarin hachés
- Huile d'olive vierge extra
- Sel
- Farine

PRÉPARATION :

Coupe les courgettes et les aubergines en fines tranches. Fais-les griller quelques minutes, puis dispose-les sur une assiette. Saupoudre-les d'un peu de thym et de romarin. Coupe les tomates en quarts et assaisonne-les avec de l'huile et du sel. Dispose du papier de cuisson sur deux plaques. Divise la pâte en deux et, sur un plan de travail enfariné, étale-la avec un rouleau de façon à former deux disques, que tu placeras sur les deux plaques. Allume le four à 250 °C. Étale le fromage sur les disques, garnis-les avec les légumes grillés, ajoute un peu de sel et d'huile. Enfourne les plaques pendant 20 minutes. Sors-les, dispose les tomates sur tes pizzas et sers-les sans attendre !

Il était si bien préparé qu'il fit un **CARTON** !
Il déboula à la maison triomphant, en agitant sa copie.
– Tonton G, **REGARDE** comme j'ai bien réussi !
Je me dis que j'avais aidé mon neveu comme, jadis, le professeur **Hardi Pizz** m'avait aidé. Et qu'un jour, peut-être, Benjamin aiderait quelqu'un à **AIMER** l'histoire, en utilisant à son tour la méthode du professeur…
Car celui qui a reçu doit donner, et celui qui donne reçoit doublement !
La vie est ainsi faite : c'est un ÉCHANGE perpétuel, où chacun aide son prochain…
Maintenant que ce livre est fini, j'ai le regret de devoir vous saluer, chers amis lecteurs !
VOUS ALLEZ ME MANQUER !
Scouiiit ! Mais je me console en pensant que nous nous reverrons

bientôt, grâce à un autre livre ! Alors je vous salue et je vous donne rendez-vous à la prochaine aventure, une aventure au poil, parole de Stilton, *Geronimo Stilton* !

Au revoir et à bientôt !

TABLE DES MATIÈRES

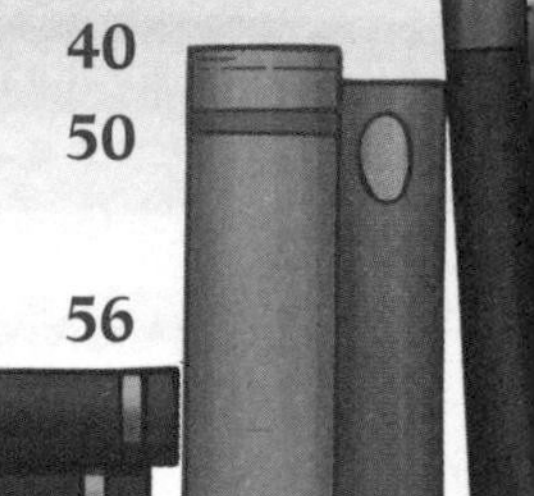

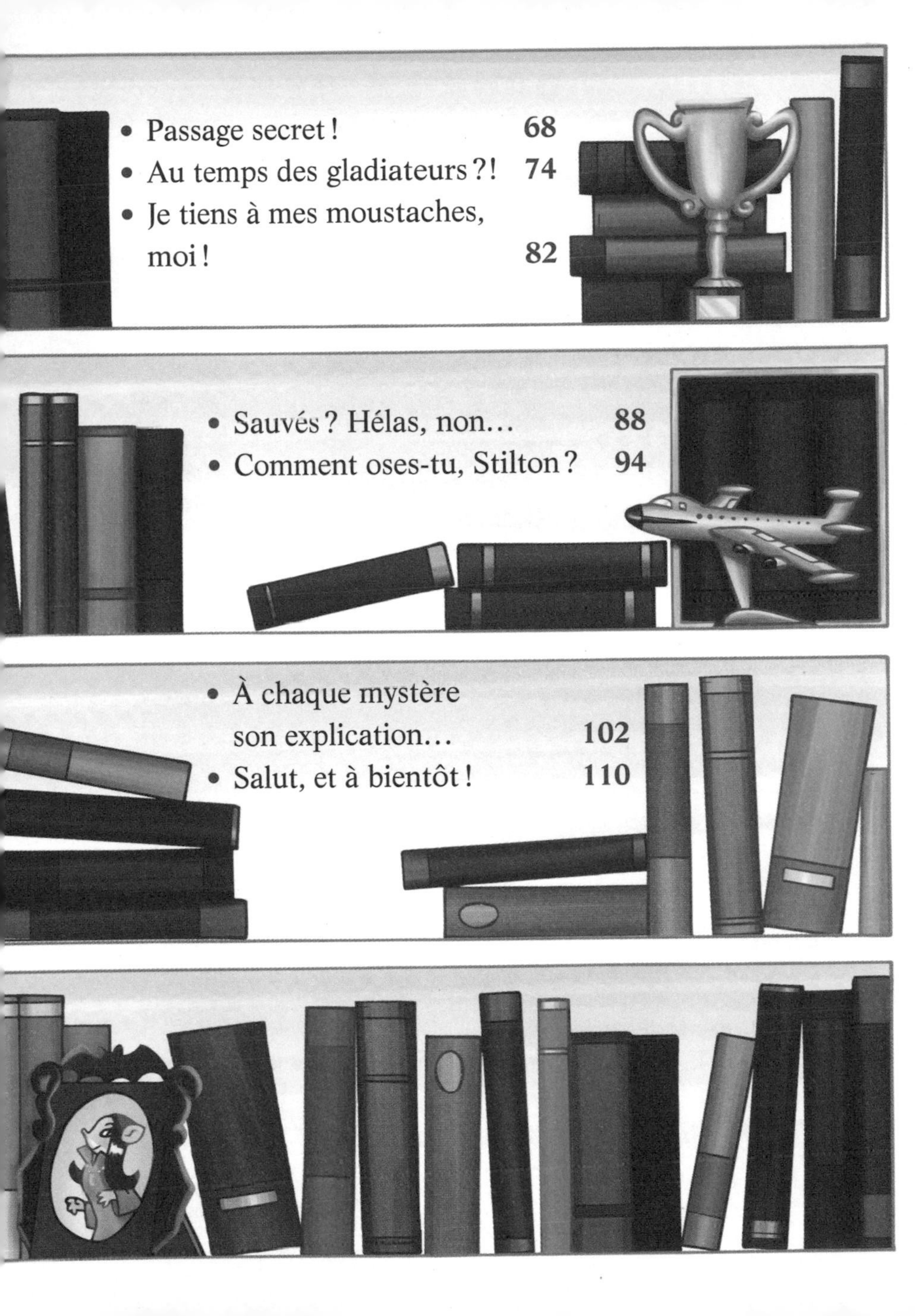

DANS LA MÊME COLLECTION

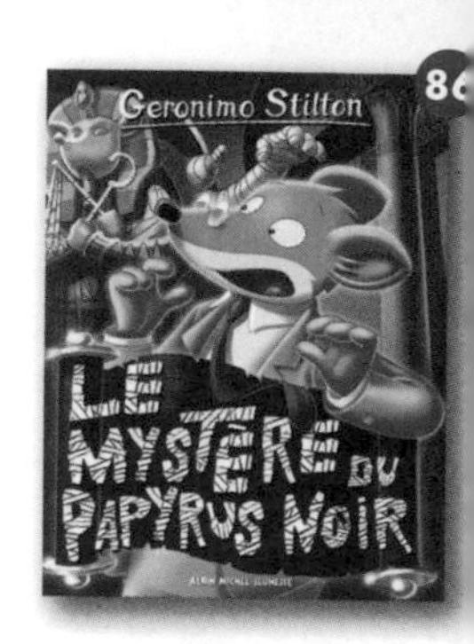

Et aussi...

Le Voyage dans le temps tome I
Le Voyage dans le temps tome II
Le Voyage dans le temps tome III
Le Voyage dans le temps tome IV
Le Voyage dans le temps tome V
Le Voyage dans le temps tome VI
Le Voyage dans le temps tome VII
Le Voyage dans le temps tome VIII
Le Voyage dans le temps tome IX
Le Grand Livre du Royaume de la Fantaisie
Chevalier au Royaume de la Fantaisie
Le Royaume de la Fantaisie
Le Royaume du Bonheur
Le Royaume de la Magie
Le Royaume des Dragons
Le Royaume des Elfes
Le Royaume des Sirènes
Le Royaume des Rêves
Le Royaume de l'Horloge magique
Le Royaume des Sortilèges
Le Secret du courage
Énigme aux jeux Olympiques

Les Préhistos

1. Pas touche à la pierre à feu!
2. Alerte aux météorites sur Silexcity!
3. Des stalactites dans les moustaches!
4. Au trot, trottosaure!
5. Tremblements de rire à Silexcity
6. Un micmac préhistolympique!
7. Le Trésor de Piratrouk le Piraton
8. Peut-on adopter un bébé terriblosaure?
9. Écho du silex contre Radio-Ragot
10. Dans la lave jusqu'au cou!
11. Trottosaure contre huître géante
12. Poulposaure à bâbord!
13. Gare au gonfiosaure puant!

L'ÉCHO DU RONGEUR

Entrée
Imprimerie (où l'on imprime les livres et le journal)
Administration
Rédaction (où travaillent les rédacteurs, les maquettistes et les illustrateurs)
Bureau de Geronimo Stilton
Toit avec jardin biologique

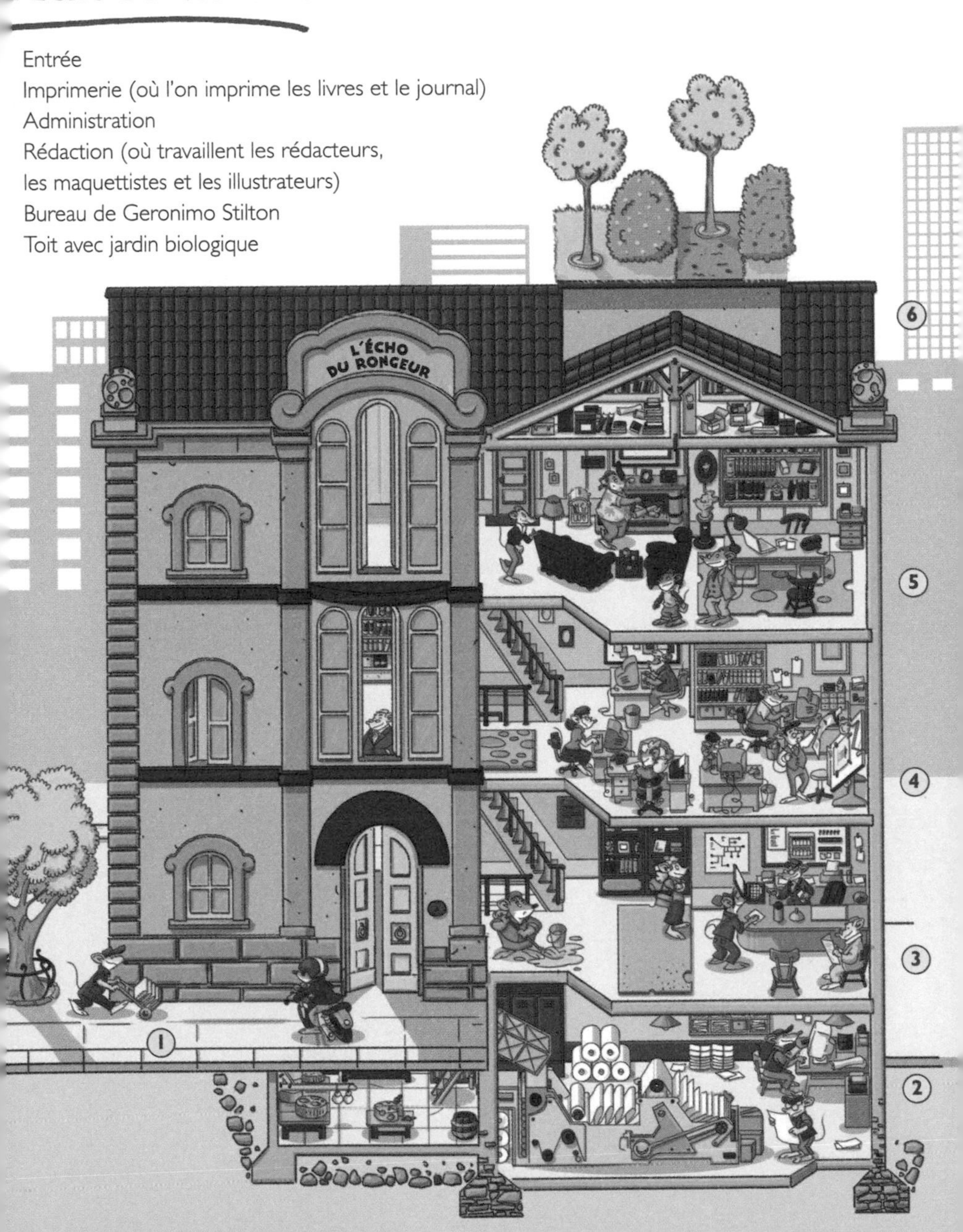

1
2
18
4
9
8
3
12
32
13
11
10
19
45
5
22
46
20
15
17
7
40
24
26
25
28
33
38
27
36
14
16
23
37
21
31
29
44
35
41
30
34
6
39
42
43

SOURISIA, LA VILLE DES SOURIS

1 Zone industrielle de Sourisia
2 Usine de fromages
3 Aéroport
4 Télévision et radio
5 Marché aux fromages
6 Marché aux poissons
7 Hôtel de ville
8 Château de Snobinailles
9 Sept collines de Sourisia
10 Gare
11 Centre commercial
12 Cinéma
13 Gymnase
14 Salle de concerts
15 Place de la Pierre-qui-Chante
16 Théâtre Tortillon
17 Grand Hôtel
18 Hôpital
19 Jardin botanique
20 Bazar des Puces-qui-boitent
21 Maison de tante Toupie et de Benjamin
22 Musée d'Art moderne
23 Université et bibliothèque
24 La Gazette du rat
25 L'Écho du rongeur
26 Maison de Traquenard
27 Quartier de la mode
28 Restaurant du Fromage d'or
29 Centre pour la Protection de la mer et de l'environnement
30 Capitainerie du port
31 Stade
32 Terrain de golf
33 Piscine
34 Tennis
35 Parc d'attractions
36 Maison de Geronimo Stilton
37 Quartier des antiquaires
38 Librairie
39 Chantiers navals
40 Maison de Téa
41 Port
42 Phare
43 Statue de la Liberté
44 Bureau de Farfouin Scouit
45 Maison de Patty Spring
46 Maison de grand-père Honoré

ÎLE DES SOURIS

1 Grand Lac de glace
2 Pic de la Fourrure gelée
3 Pic du Tienvoiladéglaçons
4 Pic du Chteracontpacequilfaifroid
5 Sourikistan
6 Transourisie
7 Pic du Vampire
8 Volcan Souricifer
9 Lac de Soufre
10 Col du Chat Las
11 Pic du Putois
12 Forêt-Obscure
13 Vallée des Vampires vaniteux
14 Pic du Frisson
15 Col de la Ligne d'Ombre
16 Castel Radin
17 Parc national pour la défense de la nature
18 Las Ratayas Marinas
19 Forêt des Fossiles
20 Lac Lac
21 Lac Laclac
22 Lac Laclaclac
23 Roc Beaufort
24 Château de Moustimiaou
25 Vallée des Séquoias géants
26 Fontaine de Fondue
27 Marais sulfureux
28 Geyser
29 Vallée des Rats
30 Vallée Radégoûtante
31 Marais des Moustiques
32 Castel Comté
33 Désert du Souhara
34 Oasis du Chameau crachoteur
35 Pointe Cabochon
36 Jungle-Noire
37 Rio Mosquito
38 Port-Croûton
39 Port-Souris
40 Port-Relent
41 Port-Beurk
42 Roquefort
43 Sourisia
44 Galion des chats pirates

4
3
2
1
7
44
6
5
40
14
8
25
13
9
11
12
10
42
41
15
21
22
20
39
23
17
32
16
19
26
35
18
29
24
43
28
38
30
27
31
36
33
37
34

AU REVOIR, CHERS AMIS RONGEURS,
ET À BIENTÔT POUR DE NOUVELLES AVENTURES
DES AVENTURES AU POIL,
PAROLE DE STILTON, DE...

Geronimo Stilton